Franquin

LE DÉFILÉ DU JAGUAR

BATEM
KAMINKA & MARAIS Franquin

DESSIN : BATEM

SCÉNARIO : KAMINKA-MARAIS.
(ADAPTÉ PAR BATEM)

COULEURS : CERISE.

MARSU PRODUCTIONS

Venez visiter le site officiel du MARSUPILAMI

www.marsupilami.com

Dépôt légal : septembre 1999
ISBN : 2-912536-21-9
ISSN : 1011-3819

...SOUVENEZ-VOUS, LES MARSUPILAMIS ONT VÉCU DIVERSES AVENTURES LOIN DE LEUR PALOMBIE NATALE...

AQUARIUM

UNE FABULEUSE FACULTÉ D'ADAPTATION ET UNE RARE DÉBROUILLARDISE...
PIRAÑAS

...LES ONT TOUJOURS AIDÉS À SURVIVRE...
MIAM!
SLAP!

...MAIS NE TRAÎNONS PLUS! LES EMPLETTES NE SONT PAS TERMINÉES ET LA MARMAILLE VA S'IMPATIENTER!
PONG!
?!
PONG!
HOUBA!

1A.

BUS
C. SAPUPPO EN CONCERT
MERCADO

OTL

HOUBA!

HOP!
VITE, AU RIO!

1B.

HOP!
HOP!
HOP!

MERCA

RIST

OUSTE ! CE N'EST PAS ENCORE AUJOURD'HUI QU'UN GARNEMENT DE TON ESPÈ-CE VOLERA MES FRUITS !!!

2A.

TEQUILA
CUERVO

...ET VOILÀ DE QUOI RÉCUPÉ-RER D'UNE JOURNÉE BIEN REMPLIE...

2B.

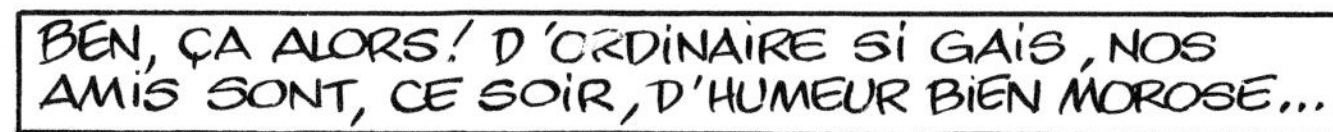
BEN, ÇA ALORS ! D'ORDINAIRE SI GAIS, NOS AMIS SONT, CE SOIR, D'HUMEUR BIEN MOROSE...

SOUPIR...

...ET DANS LA NUIT...

Bi !
Bi !
Bi !
CHUUT !

3.A.

HOUBA !
HOUBI !

RÉMI ET COLLIN, QUI LES ONT HÉBERGÉS CES DERNIERS TEMPS, NE DEVRAIENT PAS ÊTRE TRISTES TROP LONGTEMPS... ET PUIS, QUI SAIT, PEUT-ÊTRE SE RETROUVERONT-ILS UN JOUR ?

QU'EST-CE QUE C'EST ?
UN CADEAU D'ADIEU DES MARSUPILAMIS !
MIAM !

3B.

REVENONS À NOS VOYAGEURS, DONT LE PÉRIPLE SE PASSE SANS ENCOMBRE...

...ENFIN, PRESQUE.

MAIS TOUT S'ARRANGE CHEZ LES MARSUPILAMIS, ET, NON LOIN DE L'EMBOUCHURE DU RIO SOUPOPOA-RO...

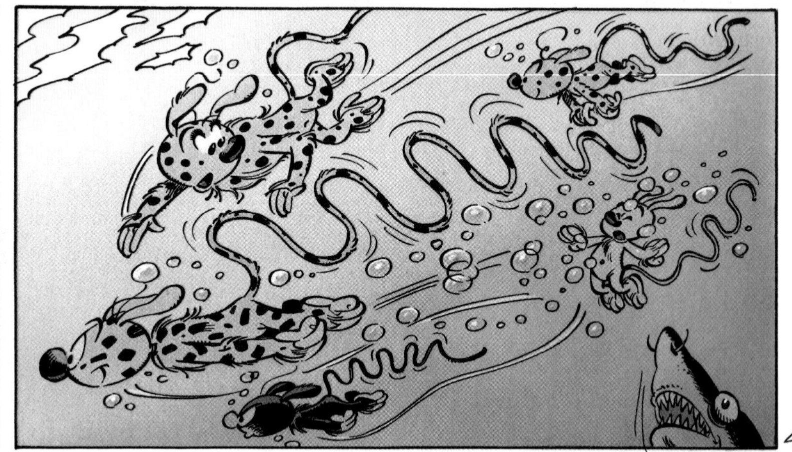

4.A

TOUS LES MOYENS DE TRANSPORT SONT UTILISÉS...
FLOUCH! FLOUCH!

4.B.

... ET LES POSSIBILITÉS SONT INNOMBRABLES !
AÏE ! ILS SONT DE RETOUR !

HOUBA, HOP !
KLAK

...CEPENDANT QUE LES PETITS REDÉCOUVRENT LES JOIES ET LES JEUX QU'OFFRE LA GRANDE FORÊT...
HI ! HI ! HI !
BI !
BI ! BI !

...LES PARENTS RETROUVENT LE TOIT FAMILIAL !
HOUBA ! HOUBA !
HOUBI ! HOUBI !

5.A.

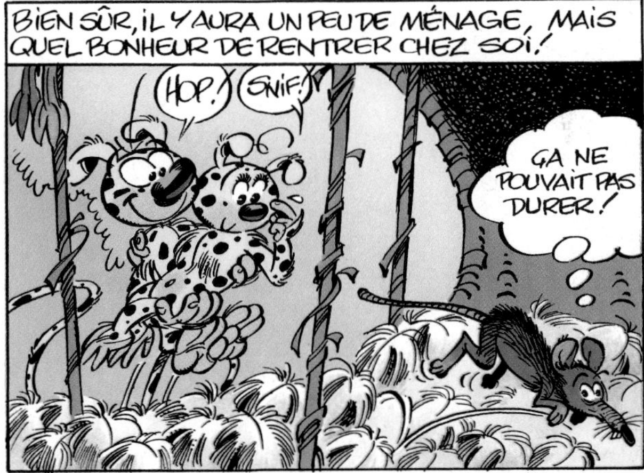
BIEN SÛR, IL Y AURA UN PEU DE MÉNAGE, MAIS QUEL BONHEUR DE RENTRER CHEZ SOI !
HOP !
SNIF !
ÇA NE POUVAIT PAS DURER !

À QUELQUES PAS, UN DRAME EST EN TRAIN DE SE JOUER... LE CRUEL JAGUAR, SÛR DE SON COUP, VA ENFIN CONNAÎTRE LE GOÛT D'UN MARSUPILAMI !
BI !
?
BU !

BIII !

5.B.

NOON! NE SOIS PAS SI TÉMÉRAIRE, ICI, ON NE JOUE PLUS!
POF
POF

GROOR
?

MAIS... MAIS ??

... QU'ARRIVE-T-IL À LA "TERREUR DE LA JUNGLE"?
?
?

?

6.A.

!

CHHHT!

... SURTOUT, NE PAS TROUBLER LA DOUCE QUIÉTUDE D'UNE SCÈNE TELLEMENT INATTENDUE...

6.B.

LORSQUE LES PREMIERS BRUISSEMENTS DE L'AUBE SE FONT ENTENDRE...

...LA PETITE MARSUPILAMIE ENTREPREND UNE ÉCHAPPÉE MATINALE...

...OR, DANS LA GRANDE FORÊT, IL N'EST PAS PRUDENT DE TROP S'ÉLOIGNER DU COCON FAMILIAL...

...OÙ LA MALHEUREUSE S'AVENTURE-T-ELLE ?

SKRITCH!
SKRATCH!

7.A.

LES PLUS JEUNES SONT AINSI FAITS, LE GOÛT DE LA RENCONTRE ET DU JEU L'EMPORTE TOUJOURS SUR LA PEUR DE L'AUTRE...

7.B.

...RAPIDEMENT, LES DEUX PETITS ÊTRES APPRENNENT À SE CONNAÎTRE...
Bi!Bi!

HOP!

...MALGRÉ QUELQUES PETITES DIFFÉRENCES!
BEUÂÊRTCH!

8A.

COMME BEAUCOUP DE CRÉATURES DE LA FORÊT, LES JAGUARS DOIVENT APPRENDRE...
OUF!

...À NAGER TRÈS JEUNES...
PLOOF!

...POUR SURVIVRE!

8.B.

ET, POUR LA PREMIÈRE FOIS, LA GRANDE FORÊT CONNUT UNE TRÊVE ÉTONNANTE...

MAIS VINT UN JOUR OÙ IL EUT MIEUX VALU QUE LE SOLEIL OUBLIÂT DE SE LEVER, CAR, ALORS QUE LE MARSUPILAMI S'AFFAIRAIT À LA CUEILLETTE DU PETIT DÉJEUNER...

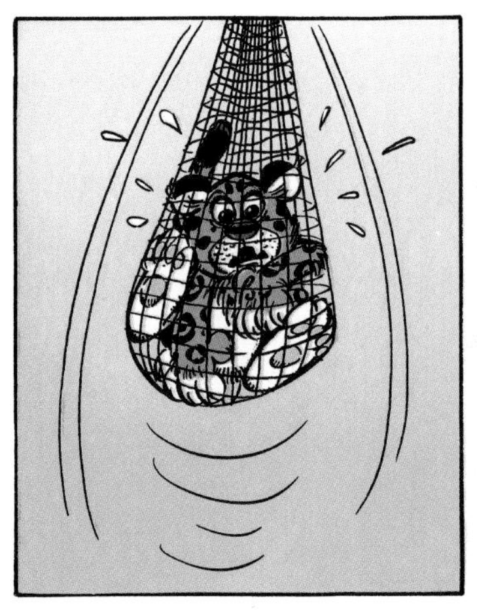

9.B.

IGNORANT TOUT DE CETTE TERRIBLE TRAGÉDIE, LE RESTE DE LA PETITE FAMILLE GOÛTE AUX JOIES DE LA TOILETTE DU MATIN...

... ET SE PRÉPARE À RETROUVER LEURS NOUVEAUX COMPAGNONS...
HOUBI!

MMMH...? HOUBIIII!

HOUBA!... HOUBAAA!

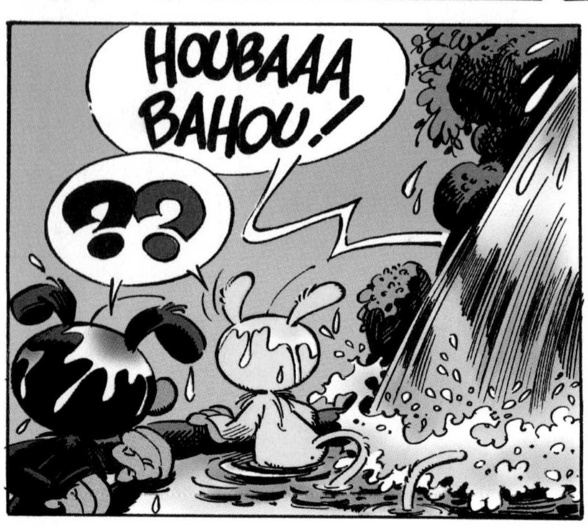
HOUBAAA BAHOU!
??

HOUBIIII?

11.A.

11.B.

CEPENDANT...
HAAA, TONIO...

...EN CE LIEU PARADISIAQUE, L'INSPIRATION M'ENVAHIT!

TOUTES CES COULEURS, TOUTES CES FORMES... LA JUNGLE RÉVEILLE MON INSTINCT CRÉATIF!

PFFF!

MOI, DÉSIRÉ VARENNE, LE ROI DE LA MODE SUPERBRANCHÉE, JE VAIS CRÉER UN LOOK, UN MOVE, UNE TENDANCE!

MA PROCHAINE COLLECTION SERA... SERA...

12.A.

...JUNGLISANTE... C'EST ÇA!
JUNGLISANTE!
PLAF!

OUMPF!

AAHH! GRÂCE À CETTE NATURE, MON GÉNIE VA À NOUVEAU S'EXPRIMER...

12.B.

CETTE MOUSSE GÉANTE ...
KRAK!

... UN BOUT DE LIANE ET ...

... C'EST UN BÉRET JUNGLISANT !

AH ... HEU ... SUPER-GÉANT, MONSIEUR !

... CE FRUIT GÉANT ...

13.A.

... UN PEU D'ASTUCE ET ...

... C'EST UN SAC À MAIN ... JUNGLISANT !

OOOOH ! GLP !
HYPERGÉANT MONSIEUR ! GLP !

ET CES FEUILLES GÉANTES ...

C'EST UNE JUPE JUNGLI-SANTE !

OUiiiiHi ! Hi ! Hi ! ... EXTRAGÉANT ... HA ! HA ! HA ! ... MONSIEUR !
SLIÎP !

13.B.

OH.!? ET CETTE BAIE GÉANTE...

..., FERAIT UN NEZ FOLLEMENT LUDIQUE, NOOON ?!
FRRSHHT

C'EST BON DEZ.! MAIS TAISEZ-VOUS UN PEU !...

...VOUS FAITES FUIR LE GIBIER .!!

ALORS, CE MARSUPILAMI ? ÇA VIENT ?! VOILÀ DEUX JOURS QU'ON EST LÀ.!
14.A

ET MOI, ÇA FAIT VINGT ANS, QUE JE LE TRAQUE, LE MARSUPILAMI !

20 ANS ?!?

MAIS, COCO, LA MODE, ÇA N'ATTEND PAS.! J'AI UN DÉFILÉ DANS DEUX SEMAINES.!

TANT PIS POUR LE MARSUPILAMI.! ON LAISSE TOMBER !

...RASSUREZ-VOUS, J'AI TOUT DE MÊME, DANS MES FILETS, DE QUOI FAIRE VOTRE BONHEUR...
14.B

PLUS TARD...
ALLEZ-Y DOUCEMENT, TONIO !

VOILÀ, NOUS POUVONS EMBARQUER ! DÉCOLLAGE IMMÉDIAT !

ATTENDEZ ! J'AI UNE PETITE SURPRISE !

15.A.

POF !

... C'EST, CEPENDANT, CHER PAYÉ ! ... ON N'A PAS VU LA QUEUE D'UN MARSUPILAMI !

PARÉS ?! DÉGAGEZ LA PISTE !
$ $ $ $ $
100...
200...
300...
400...

VRRRRRRR

RRRRRRRRRRR

15.B.

RRRR
HOUBAAA...

...BAHOU!
LE MARSUPILAMI ?!

?!

16.A

HOUBA!

HOP!

IL EST PAR LÀ !

HOUBA!
PLAF!

DÉPÊCHEZ-VOUS ! J'AI HÂTE DE ME METTRE AU TRAVAIL !

16.B.

EL PARADISIO

S'IL CROIT QUE JE VAIS LE LAISSER S'ENVOLER !

VROOAAAAARRR
ON MET LA GOMME !
PETT
?
AGUILA DEL PARADISIO
PAF
PETT

17A.

FINI DE RIRE ! CE COUP-CI, JE VAIS T'AVOIR ET PANG ! AU MOINS, J'AURAI TA PEAU !

BAOOM !

SBENG

MA PAROLE ! CET ABRUTI NOUS TIRE DESSUS !
?!

MAIS, DÉCOLLEZ, BON SANG !
ON Y VA ! ON Y VA !

ET, C'EST PARTI POUR UNE CROISIÈRE 1ère CLASSE !
PETT !
PAF !

17B.

18.B.

AAAH!!!

QU'EST-CE QUI VOUS PREND?!/ JE VOUS ORDONNE DE REPRENDRE LE MANCHE!

VIIIITE!
HOUBA!

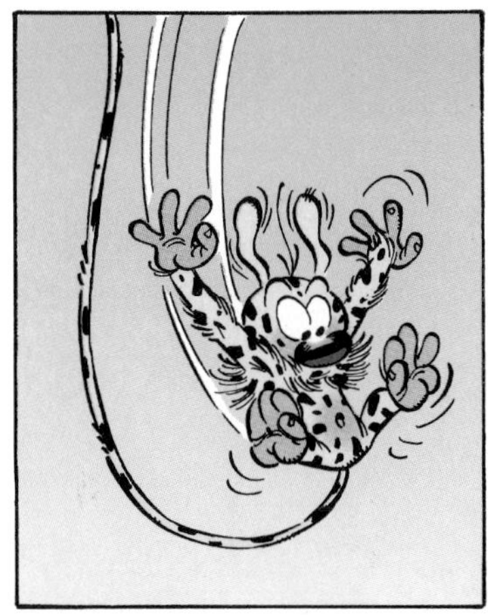

AGUILA DEL PAR

19A.

GROOAAR!

TONIO, ALLEZ VOIR CE QUI SE PASSE À L'ARRIÈRE!
OUI, MONSIEUR.

19.B.

OH, LÀ ! PAS COOL, ÇA ! PAS COOL !

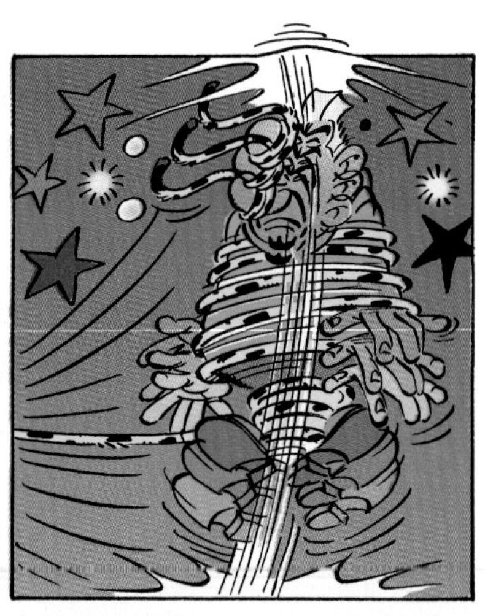

PAF !

QU'EST-CE QUE ?... MAIS, C'EST LE... LE... LE MARSUPILAMI !

C'EST HORRIBLE ! TONIO A TUÉ LE MARSUPILAMI !!!

AVEC UNE TELLE QUEUE, J'AURAIS PU EN FAIRE LE CLOU DE MON PROCHAIN DÉFILÉ. J'AI VRAIMENT PAS DE CHANCE !

HOTEL

21.A.

CERVEZA COLIBRI

PLOOF

PFFFF !

21.B.

?

KLIK!

PIIP!
TUUUT!
VROOM!
VROOP!
POUT!

?

BROUUM
VROOOO
TUUT!
DÉDÉ

TUUUT
PIIIP
RIO

HOUBA!
?
BONG

IIIIH!
HOP!
?

HOUBA!
?
BONG!
POK!
AÏE!

NON LOIN DE TOUT CE CIRQUE...
QU'EST-CE QUE C'EST QUE CE CLOWN?
'SAIS PAS, MAIS PRENDS LA CAMÉRA!
TÉLÉ CHIQ

WOUAW! QUEL SCOOP!

HOUBA!

23A.

LÀ, IL S'ÉCHAPPE! TU FILMES?
BZZZ

...QUE... QUE FAIT-IL?
HOP! HOP! HOP! HOP!

? ?

HOUBA!

23B.

HISSÉ AU SOMMET DE CETTE JUNGLE DE BÉTON, LE MARSUPILAMI LANCE SON CRI DE RALLIEMENT...
HUMPF!

HOUBAAA... BA-HOU!

TUUT...
PiiiP
PWAAP
POUËT

?

ÉPUISÉ PAR TANT D'ANIMATION, LE SOLEIL SE COUCHE SUR LA VILLE...
colibri
CERVEZA

VARENNE

Serdu

25.A.

25.B.

DANS L'INTIMITÉ DE SON ATELIER, DÉSIRÉ VARENNE CRÉE AVEC FRÉNÉSIE...

25.C.

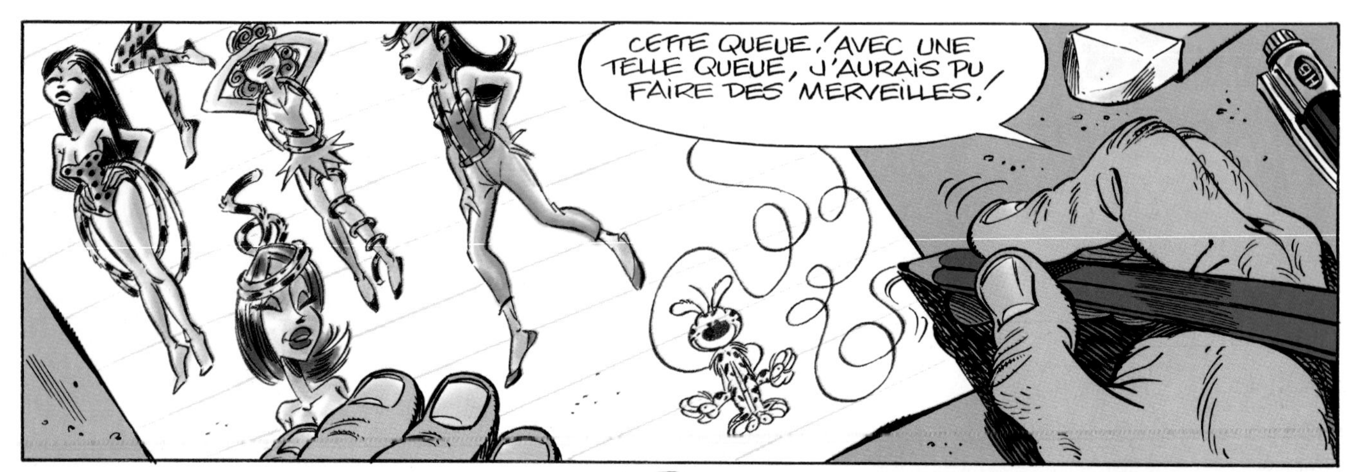
CETTE QUEUE ! AVEC UNE TELLE QUEUE, J'AURAIS PU FAIRE DES MERVEILLES !

...FAIRE DÉFILER LE MARSUPILAMI SUR UN PODIUM... LES JOURNAUX EN AURAIENT PARLÉ PENDANT DES MOIS... MA COLLECTION JUNGLISANTE AURAIT FAIT LE TOUR DU MONDE...

FLASH !
KLAK !
KLIK !

KLIK !
D.V.
MONSIEUR ! MONSIEUR !

26.A

POUF !
RE-REGARDEZ, MONSIEUR ! ...

REGARDEZ !
KLIK !

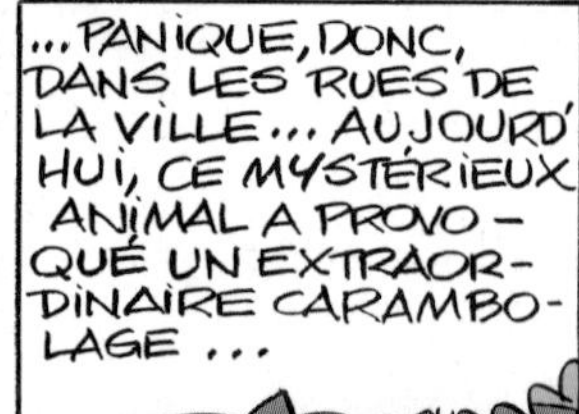
...PANIQUE, DONC, DANS LES RUES DE LA VILLE... AUJOURD'HUI, CE MYSTÉRIEUX ANIMAL A PROVOQUÉ UN EXTRAORDINAIRE CARAMBOLAGE...

...AVANT DE DISPARAÎTRE PAR LES TOITS !

...SELON LES VICTIMES, IL S'AGIRAIT D'UN CROISEMENT ENTRE UNE PANTHÈRE ET UN GORILLE !

...À CETTE HEURE, LA POLICE N'A TOUJOURS PAS RETROUVÉ SA TRACE...

IL EST VIVANT, TONIO! LE MARSUPILAMI EST VIVANT! C'EST TROP TOP!

MMH...

LA PRÉSENTATION DE MA NOUVELLE COLLECTION A LIEU DANS QUELQUES JOURS, IL FAUT QU'IL SOIT DANS MON DÉFILÉ! JE LE VEUX! JE LE VEUX! JE LE VEUX!
ET SI ON OFFRAIT UNE RÉCOMPENSE?

UNE RÉCOMPENSE? C'EST ÇA, UNE RÉCOMPENSE! JE VIENS D'AVOIR LA MÉGABONNE IDÉE!

TONIO, ALLEZ ME QUÉRIR UN ANNUAIRE TÉLÉPHONIQUE!
TOUT DE SUITE, MONSIEUR!

...TOI, CHÉRI, PASSE-MOI LE TÉLÉPHONE!
CERTAINEMENT, MONSIEUR, TOUT DE SUITE, MONSIEUR, VOICI MON PORTABLE, MONSIEUR!

27.A.

DANS UNE BOÎTE DE NUIT...

???

CHERS AMIS, VICTIMES DE LA MODE, J'AI UNE BRANCHISSIME NOUVELLE À VOUS ANNONCER: MOI, LE GRAND DÉSIRÉ VARENNE, J'HABILLERAI À VIE CELUI QUI CAPTURERA LE SINGE À PEAU DE LÉOPARD QUI ZONE EN VILLE!

OOH! SUPER!...TROP COOL! T'IMAGINES, ÊTRE FRINGUÉ PAR VARENNE? LA GIGAFRIME!

...AMIS, VICTIMES DE LA MODE, J'AI UNE BRANCHISSIME NOUVELLE À VOUS ANNONCER: MOI, LE GRAND DÉSIRÉ VARENNE, J'HABILLERAI À VIE...
ZZZ

27.B.

...CELUI QUI CAPTURERA LE SINGE À PEAU DE LÉOPARD QUI ZONE EN VILLE !
?

HOUBA !

HOP !
PTOING

... À VOUS ANNONCER : MOI, LE GRAND DÉSIRÉ VARENNE, J'HABILLERAI À VIE ...

... CELUI QUI CAPTURERA LE SINGE À PEAU DE LÉOPARD QUI ZONE EN VILLE !

28.

CHERS AMIS, VICTIMES DE LA MODE, J'AI UNE BRANCHISSIME NOUVELLE À VOUS ANNONCER : MOI, ...
GROO !

...LE GRAND DÉSIRÉ VARENNE, J'HABILLERAI À VIE CELUI QUI CAPTURERA LE SINGE ...

...À PEAU DE LÉOPARD QUI ZONE EN VILLE !
ME

D.V.
AAAH ! ÇA PREND FIÈRE ALLURE !
OH, OUI, MONSIEUR !

D.V.

28.E

SNIF! SNIF!

HOPOP!

ALORS?... OÙ EN EST MON BUFFET JUNGLI-SANT, MON BON TONIO?

OOOH, ÉPA... ÉPATONIFIANT, MONSIEUR... ÉPATONIFIANT ...

VOYONS CELA : PANSE DE TATOU FARCIE, BROCHETTES DE PIRANHAS, ROULADE DE BOA CONSTRICTOR, TERMITES GRILLÉES...

29.A

BEEEURK!

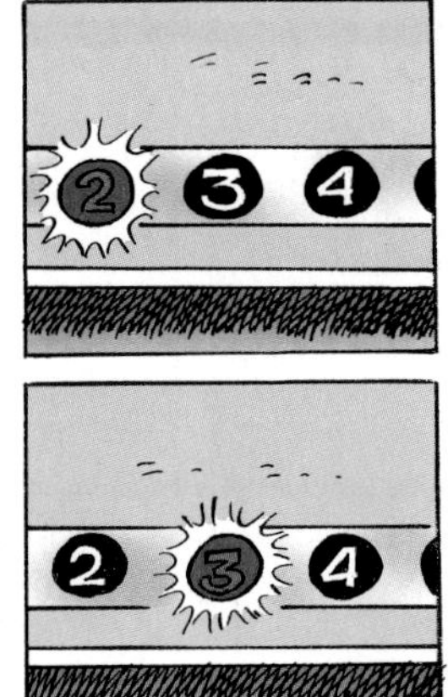
2
3
4
2
3
4

29.B.

HOUBA!

GNNH!

HOP!

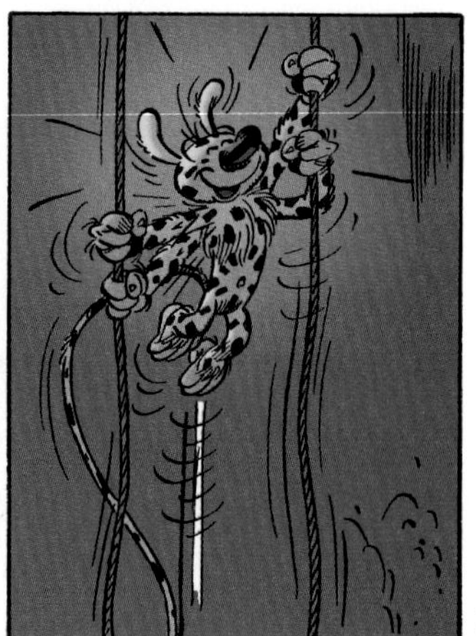

KLAK!
BZZZZZZ

BZZZZ
HOUBA!

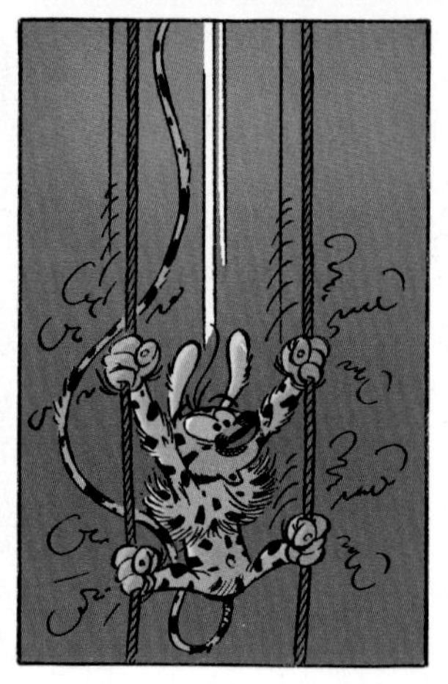

JE L'AI!!

AAAAH!!!
ARCHI PAS
DE CHANCE!

30.B

ET L'AMBIANCE, ÇA DONNE QUOI?

VOICI, MONSIEUR!

GROAR!

TSIPUIIIIIT!#
CUICUICUI CUI CUII
TRILILIII

31.A.

TAM!
TOUM!
TAM!
TAM!

OUH! OAH! OU!OU!
IK! IIIK!

ALÉLÈCHAHUTASDUSOU-POPOARO KONPAHUDPÔ!

KIIK! TCHIK! GROAR!

ET CE N'EST QU'UN ÉCHANTILLON! QU'EN PENSEZ-VOUS, MONSIEUR?

FOR-MI-DAÂBLE! ON S'Y CROIRAIT!

31.B.

DZziii... TING!
KLAK!
RODÉO 382C

DZiiii... KLAK!

32.A.

HOUBAHAHAHA!

HOP!
DZiii... KLAK!
DZiii... KLAK!

DZiiiiii...
TCHAK! KLAK!
TCHAK!

AH, TONIO... TU L'AS DRESSÉ ?...

Ç'A PAS ÉTÉ SYMPA, MONSIEUR... CE JAGUAR EST VRAIMENT MÉGA-SAUVAGE ! MAIS... ÇA DEVRAIT MARCHER QUAND MÊME !

32.B.

ET LE MARSUPILAMI ?

AUCUNE NOUVELLE, MONSIEUR !

ZUT ! ZUT ! ET ARCHIZUT !

KELLY, KIKI, KATIE, APPROCHEZ MES CHÉRIES !

VOICI LES ACCESSOIRES JUNGLISANTS... LE MUST DE MA COLLECTION... DE VÉRITABLES COPIES DE QUEUES D'ANIMAUX SAUVAGES !
OUIIIIIII.
MÉGA-TENDANCE, NON ?

33.A.

ALORS, LES FILLES, LES AMATEURS DE TOUT POIL VONT DÉFILER, NOOON?
OUIIIIII ! BRAVOOOO ! FORMIDABLE !
KLAP!
KLAP!
KLAP!

DZIII... TCHAK ! DZIII...
DZIIII... TCHAK ! DZIII...

DZIII... TCHAK !
DZIII... TCHAK !
QUE...?

DZIII... TCHAK ! DZ
DZIII... TCHAK ! DZI

33.B.

34.A

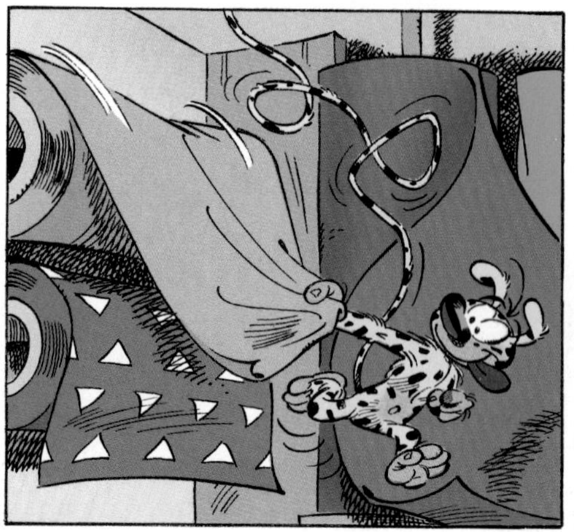

34.E

?
DZiii...TCHAK! DZii
DZiii...TCHAK!

LE MARSUPILAMI ?!...
ICI ?!

HOOOOo...
TOP! TOP! TOP!
DZiii...TC
DZiii...TCH
DZiii...TC

PETIT?
PETIT?
PETIT?
PETIT?
OÙ SE CACHE-T-IL, LE MINOU?

35.A

PETIT? PE...
?

?

TU ES LÀ, MON BIJOU? MINOU-MI-NOU-MINOU?!

35.B.

HOUBA!

OOOOOOHHH!

MIAM!

36.A.

ET ENFIN, LE GRAND SOIR EST ARRIVÉ...
'PARAÎT QU'IL Y A LE MARLUSI... LE MARPILA... LE CHOSE, LÀ, EN VEDETTE!
MAIS NON! ILS N'ONT PAS RÉUSSI À METTRE LA MAIN DESSUS...
OOH, DOMMAGE!

VRROUMM
AH!

CHER AMI!

36.B.

ROTTEN JERRY LEE TRASH !! C'EST TOTAL STYLE D'ÊTRE VENU, MON POTE ! TU VAS FLASHER SUR MA NEW COLLEC ! JE L'AI BIDOUILLÉE EN PENSANT À TOI !
FLASH !

PARDON ?... C'EST À QUEL SUJET, MONSIEUR ?

NULLIFIANT !

TUUUT !

LADY CHATTERTON...
37.A

LADY CHATTERTON, C'EST BAT DE VOUS REVOIR ! VOUS ALLEZ ADORER MA NOUVELLE COLLECTION, JE L'AI CRÉÉE EN PENSANT À VOUS !

SURPRENDIFIEZ-MOI, TRÈS CHER !... ÉTONNIFIEZ-MOI !
...

SURPRENDIFIANTE... ÉTONNIFIANTE...

ALLEZ, EN PISTE !

IL ÉTAIT BON, MON SIROP CALMANT, HEIN, MON GROS MATOU ?!
37.B.

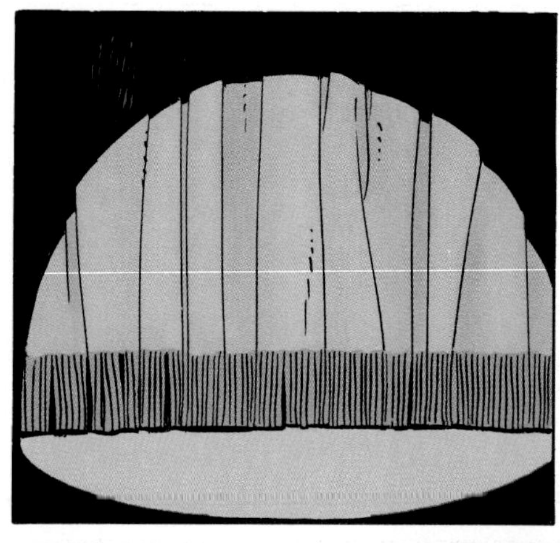

TCHIKA!

HOUBA!

HOUBA! HOP! HOP! ET MAINTENANT, VOICI LE MOMENT QUÉ VOUS ATTENDEZ TOUSS!
TCHIK! TCHIK! TCHIK! TCHIK!

FLASH! KLIK! KLAK!

38.A.

OOOH! AAH! BRAVOO!
KLAP! KLAP! KLAP! KLAP! KLAP!

TCHIK
TCHIK
BRAVO!

FLASH

C'EST UN MÉGA-TRIOMPHE! MON TRAVAIL PORTE ENFIN SES FRUITS!
C'EST TOUT VOTRE TALENT QUI DÉFILE, MONSIEUR!
KLAP! KLAP!

VARENNE, TU ES GÉNIALISSIME... JE T'ADORE... TIENS...
SMACK! SMACK!

38.B

ÇA VA ÊTRE À MOI, TONIO.!
TU ES SÛR QUE JE NE RISQUE RIEN, AVEC CES MONSTRES?
J'EN AI FAIT DES AGNEAUX, MA BICHE.!

IL SUFFIT DE NE PAS LES AFFOLER, OU ÇA POURRAIT DEVENIR DANGEREUX.! ...

...MAIS TOUT IRA BIEN... ALLEZ, COURAGE, MA POULE.!

TCHIKA! TCHIKA!
BRAVOOOoo!
KLAP! KLAP! KLAP!

39.A.

TCHIKA! TCHIKA! TCHIKA!
OOOH!!

TCHIK! TCHIK!
TCHIKA! TCHIKA!
HOUBA! HOUBA! HOP!
GRRR!

CETTE IMITATION DE, JE NE SAIS QUEL ANIMAL, EST ENTACHÉE D'UNE CERTAINE VULGARITÉ...
?

... N'EST-CE PAS, TRÈS CHER?
HOUBA!

¡¡¡¡¡¡!
CHUT!

39.B.

HOUBA!
HOUBAAA! HOUBA! HOP!
TCHIKA!
TCHIKA!
HOP!
TCHIKA!
TCHIKA!
GRRR!

GROAR!
PAF

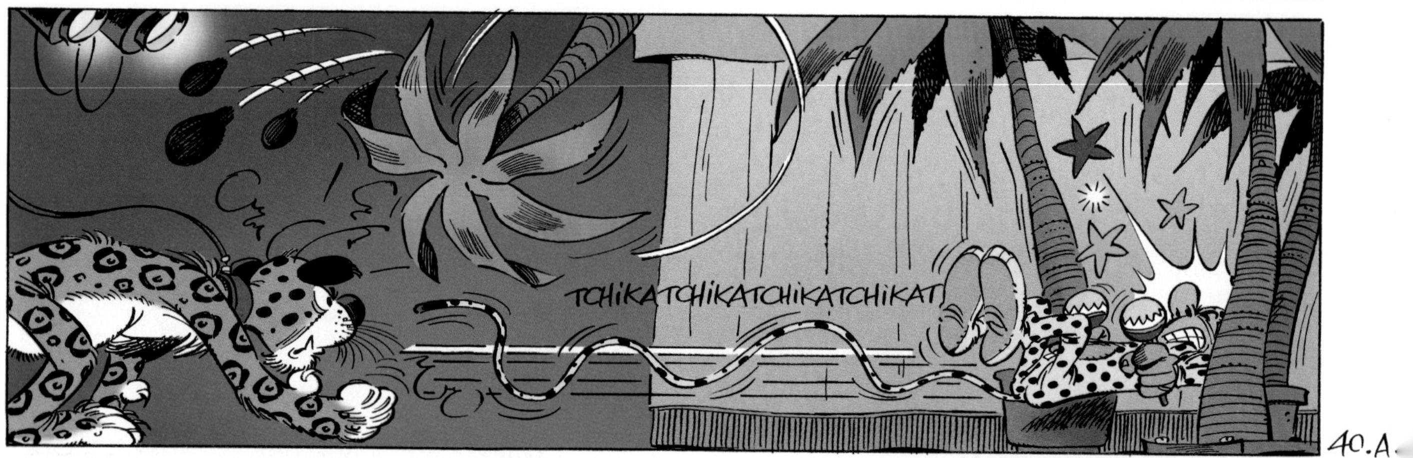
TCHIKATCHIKATCHIKATCHIKAT!

40.A.

POK!

HOUBA!

GROOOOR!

AAAAHH!
OAAR!

HOLÀ, VIGILE! ARRÊTEZ CE DÉSASTRE IMMÉDIATEMENT! MAÎTRISEZ-MOI CET ANIMAL ENRAGÉ!
À VOTRE SERVICE, MONSIEUR!

40.B.

À NOUS DEUX, MON MINET !

KKRRRRRK

D.V.
SBAM !

HOUBA !
HOUBA !

41.A.

GRRRR !

'FAUT VRAIMENT TOUT FAIRE SOI-MÊME !...
...SON ARME !

GROOUU !

TU AS TRANSFORMÉ MON DÉFILÉ EN CATASTRO-PHE ! APPRÊTE-TOI À EN DÉCOUDRE, SALE BÊTE !

41.B.

GLP!

HOUBA!

JE...

BOK!

QUELLE SOIRÉE ! QUEL EXTRAORDINAIRE SPECTACLE ! CE VARENNE, QUEL GÉNIE !!
DITES-MOI, MON CHER DÉSIRÉ ...
OH, LADY CHATTERTON !?

J'AI A-DO-RÉ... VOUS M'AVEZ CONQUISIÉE, TRÈS CHER !!... VOTRE DÉFILÉ ÉTAIT FABULEUX, CE LOOK, CETTE TENDANCE JUNGLISANTE... J'ADOOORE !
AH ? HEU... MERCI !

À BIENTÔT, CHER AMI ! N'OUBLIEZ PAS DE M'ENVOYER LA FACTURE !
CERTAINEMENT, MA CHÈRE !...

HÉ, VARENNE, MON POTE, PENSE À M'ENVOYER TA FACTURE AUSSI !

43.A.

ALORS, TONIO, J'AI GAGNÉ MON PARI, CE FUT UNE RÉUSSITE !
SINCÈRES FÉLICITATIONS, MONSIEUR ! MAIS ...

... QUE FAIT-ON DE NOS COMPLICES ? ILS ONT QUAND MÊME CONTRIBUÉ À VOTRE SUCCÈS !?
HMM...

... VOUS AVEZ RAISON, ET POUR LES REMERCIER, J'OFFRE LES BILLETS POUR LEUR RETOUR !

ALLEZ, ON RENTRE ! JE VOUS RACCOMPAGNE, VOUS L'AVEZ BIEN MÉRITÉ !
RRRROO°
ROO°
ROOO°
ROOO°

PAROLE D'HELMUT, VOUS EN AVEZ FAIT DE VÉRITABLES PELUCHES, DE VOS FAUVES !?

43.B.

44.A

44.B

le 23.06.99-

Hi! Hi! Hi!